ROBERT SCHU

QUARTET

for 2 Violins, Viola and Violoncello
F major/F-Dur/Fa majeur
Op. 41/2

Ernst Eulenburg Ltd
London · Mainz · Madrid · New York · Paris · Tokyo · Toronto · Zürich

Quartet No. 2

I

Robert Schumann, Op. 41, No. 2
1810 - 1856

Allegro vivace 𝅗𝅥. = 96

Violino I

Violino II

Viola

Violoncello

mf mf mf mf

10

sf f f f sf f f f sf f f f

20

pizz. arco p p p

Ernst Eulenburg Ltd

cresc.
f
ten.
mf
30
40
sf

50
sf
f
f
f
60
sf
sf
sf
sf
sf
sf
sf
sf
sf
sf
sf
sf
sf
70
p
p
p
pizz.
cresc.
sf
sf
sf
arco
sf
80
p dolce
p dolce
p dolce
p dolce

90
sf
sf
pp
1.
2.
pizz.
pizz.
pizz.
cresc
cresc.
sf
100
sf
f
f
f
arco
f
sf
f
110

120
f sempre
f sempre
f sempre
130
140

150
160
170

un poco ritard.
a tempo
mf
180
sf
f
190
pizz.
arco
p
200
cresc.

210
ten.
mf
(mf)
220
sf
230
p

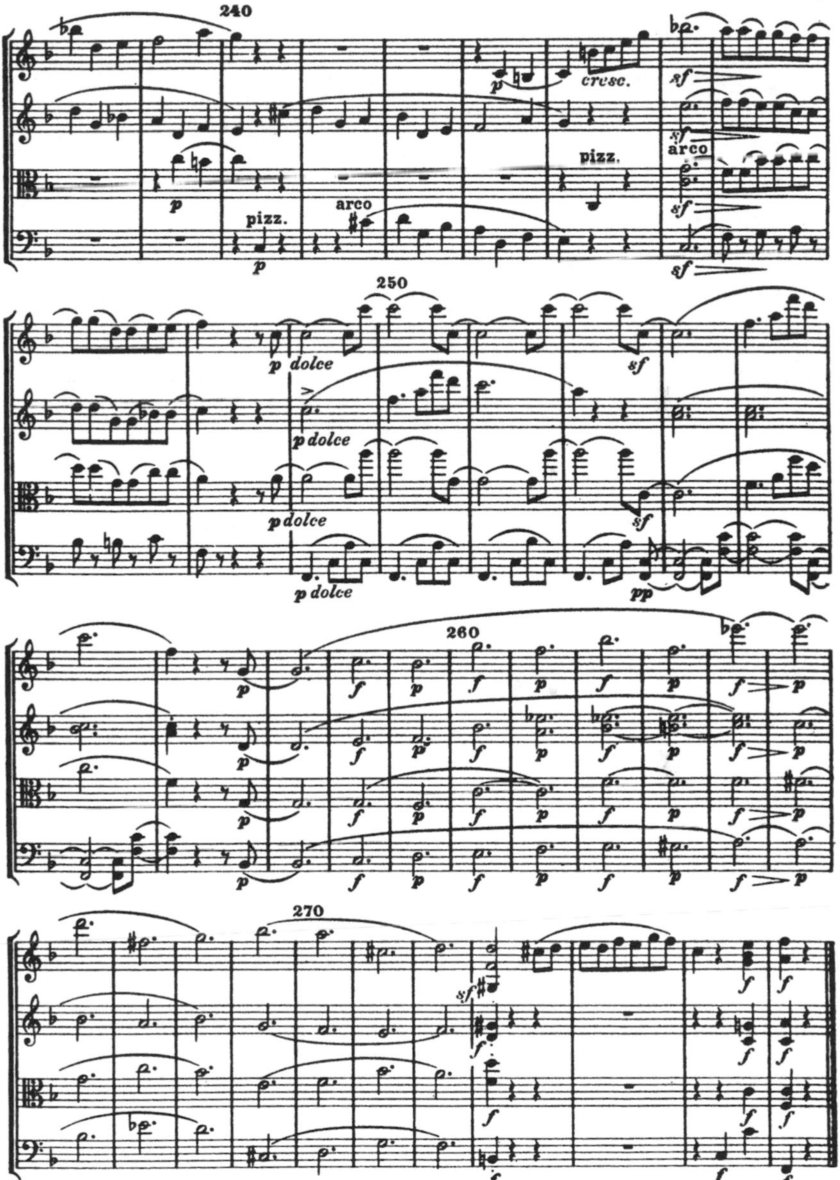
240
p
cresc.
sf
pizz.
arco
250
p dolce
sf
pp
260
f
270

II

Andante, quasi Variazioni ♩. = 69

sf
p
dim.
sf
p
dim.
p
dim.
sf
p
dim.
pp
un poco marcato
p
un poco marcato
pp
p
un poco marcato
pp
p
20
p
pp
pp
espressivo
sf
sf

f
sf
p
dol.
30
cresc.

40
dim.
tr
dim.
dim.
dim.
sf
sf
sf
sf
sf
sf
sf
sf
sf
p
p
p
p
sf
sf
sf
sf
sf
sf
sf

50
p e sempre espress.
p e sempre espress.
pizz.
p e sempre espress.
pizz.
p
arco
pizz.
cresc.
cresc.
cresc.
cresc.
arco
ten.
f
pizz.
arco
f
sf
pizz.
sf
f
arco
f

arco
un poco ritar - dando
60
a tempo
più f
p cresc.
pizz.
cresc.
dim.

ritard.
ritard.
ritard.
ritard.
Molto più lento ♩. = 50
ten.
pp
dim.
più f
70

ten.
ten.
ten.
più f
più f
più f
più f
ten.
ten.
dim.
pp
dim.
pp
dim.
pp
dim.
pp
ten.
ten.
ritard.
ritard.
ritard.
ritard.
mf
mf
mf
mf
Un poco più vivace 𝅗𝅥 = 100
80
sf
sf
più f
più f
più f
più f

ritard.
a tempo
cresc.
dim.
più f
a
tempo
f
sf
Tempo I
90
p espressivo
pp
sf

dim.
mf
pp
sf
100
cresc.
p

Coda

Un poco più lento

III

20
p
f
p
p
dolce
30
cresc.

40
1.
cresc.
cresc.
cresc.
cresc.
2.

Trio

L'istesso tempo

80
1.
2.
cresc.
cresc.
cresc.
Scherzo da Capo e poi la Coda
Coda
3
3
90
p
sf dim.
espressivo
sf
p
sf
sf
espressivo
sf
sfp
sf
sf
sfp
sf
sfp
sfp
sfp
100
sfp
sfp
sf
sf
ritard.
dim. ritard.
dim. ritard.
ritard.
pizz.
pizz.
pizz.
pizz.
p
p
p
p
sfp
sfp
sfp
sfp
Fine.

IV

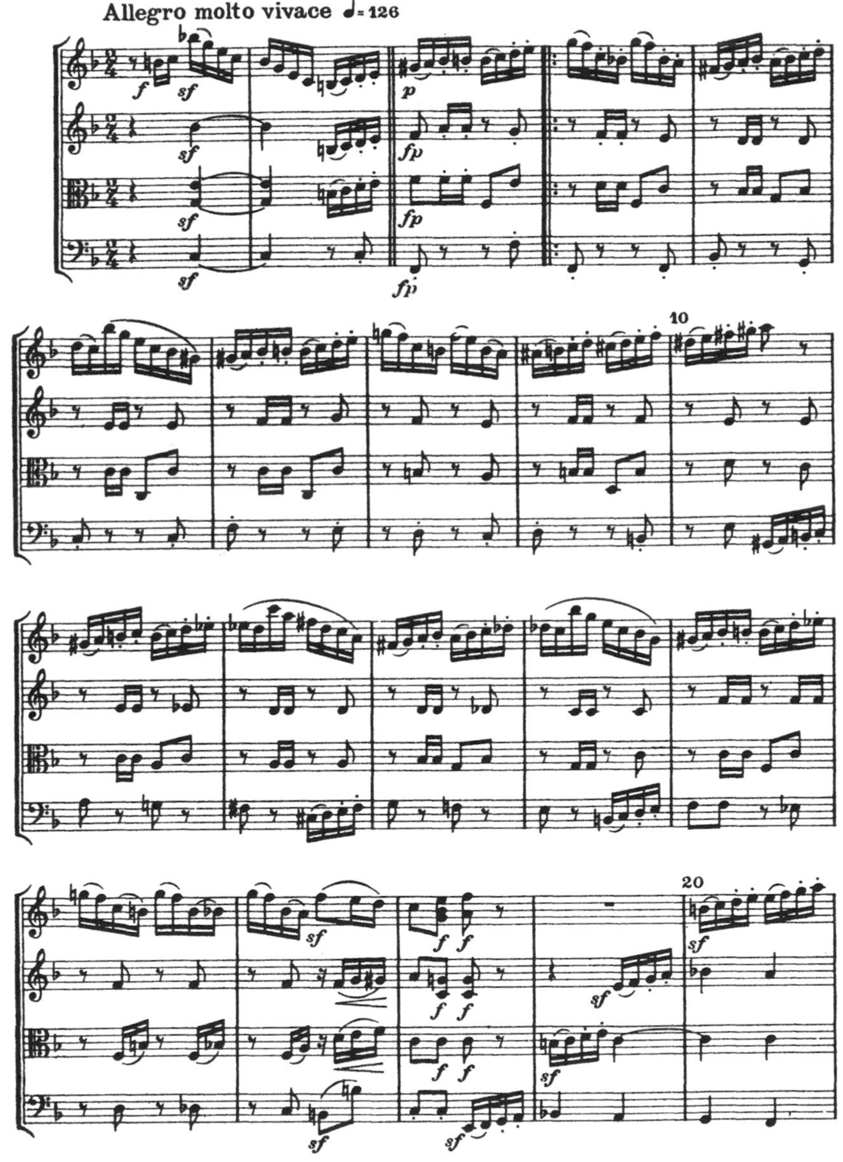
Allegro molto vivace 𝅗𝅥 = 126
f
sf
p
fp
10
20

30
cresc.
dolce
40
tr
sf
mf
p
f

1.
2.
50
60
70
sf
dim.
p
f
fp
sfp
sf dim.

sfp
p
f
f
sf
sf
sf
80
sf
sf
sf
90
sf
sf
sf
sf
sf
sf
dim.
sfp
sfp
p
sfp
100
sfp

sfp
p
sfp
sfp
sf
sf
sf
sf
110
sfp
sfp
sf
p
sf
sf
sf
sf
120
sfp
sfp
sfp
p
animato
p
animato
p
animato
p
animato
p
cresc.
cresc.
cresc.
cresc.

180
fp
fp
p
10
140
sfp
sfp
sf
sf
sf
ten.
ten.
un poco rit.
150
a tempo
p

160
170
cresc.
cresc.
cresc.
cresc.

180
dolce
Più mosso
200

cresc.
cresc.
cresc.
cresc.
sf
sf
sf
sf
210
f
f
f
sf
sf
sf
220